Le...
ind...
en ...glais

Brigitte Lallement et Nathalie Pierret

FIRST
Editions

ISBN : 978-2-7540-1317-8
Dépôt légal : 2ᵉ trimestre 2009

Conception graphique : Georges Brevière
Conception couverture : Zadig

Imprimé en Italie

Éditions First
12, avenue d'Italie, 75013 Paris
Tél. : 01 44 16 09 00
Fax : 01 44 16 09 01
e-mail : firstinfo@efirst.com
www.editionsfirst.fr

SOMMAIRE

POUR TOUT DIRE
La partie français / anglais   31

Les mots français classés par thèmes
et traduits en anglais   33

POUR TOUT COMPRENDRE
La partie anglais / français

INTRODUCTION

Un Petit Livre pour tout dire et tout comprendre

Un Petit Livre à emporter partout pour faire face à toutes les situations de la vie de tous les jours.

Comment se débrouiller correctement quand on visite un pays étranger si on ne parle pas la langue ? Comment accueillir un étranger en France si on ne peut communiquer ? L'anglais est une langue internationale qui permet de faire face à toutes les situations.

1000 mots anglais vous permettront de vous sortir de la plupart des situations de la vie courante, 1000 mots sélectionnés spécialement pour leur fréquence et aspect directement utile. Ce sont ces 1000 mots que vous retrouverez dans votre Petit Livre.

Votre Petit Livre est organisé en deux parties faciles à utiliser.

Vous trouverez les mots qu'il vous faut pour tout dire (ou presque tout !) : vous cherchez la traduction d'un mot français ? C'est ici que vous la trouverez.

Dans la seconde partie de votre Petit Livre, vous trouverez les mots pour tout comprendre (ou presque tout !). Vous cherchez le sens d'un mot anglais ? C'est là que vous le trouverez.

***

Votre kit de survie

Dans un « kit de survie », vous trouverez les mots indispensables dont vous aurez toujours besoin : les nombres, des outils grammaticaux qui vous permettront d'indiquer la quantité ou la possession, de poser des questions, etc. La rubrique Prononciation vous donnera quelques pistes pour mieux prononcer, donc mieux comprendre et vous faire comprendre.

Pour tout dire :
la partie français/anglais

Puis les 1 000 mots essentiels sont classés en 12 thèmes qui recouvrent l'essentiel de la vie de tous les jours. Chaque rubrique comporte des expressions directement utilisables qui vous seront utiles en voyage.

Pour tout comprendre :
la partie anglais/français

Dans cette partie du livre, vous trouverez une centaine d'expressions que vous entendrez très certainement si vous voyagez à l'étranger.

Pour vous faciliter la tâche, nous les avons classées sous les mêmes rubriques que celles de la partie français/anglais.

Puis les 1000 mots de l'anglais sont classés par ordre alphabétique pour que vous les retrouviez facilement.

Dans les deux parties, tous les mots de plusieurs syllabes comportent une voyelle en gras qui vous indique où se porte l'accent.

VOTRE KIT DE SURVIE
Your survival kit

1. LES NOMBRES
Les adjectifs numéraux

1	*one*	50	*fifty*
2	*two*	60	*sixty*
3	*three*	70	*seventy*
4	*four*	80	*eighty*
5	*five*	90	*ninety*
6	*six*	21	*twenty-one*
7	*seven*	32	*thirty-two*
8	*eight*	43	*forty-three*
9	*nine*	54	*fifty-four*
10	*ten*	65	*sixty-five*
11	*eleven*	76	*seventy-six*
12	*twelve*	87	*eighty-seven*
13	*thirteen*	98	*ninety-eight*
14	*fourteen*	100	*a / one hundred*
15	*fifteen*	200	*two hundred*
16	*sixteen*	1,000	*a / one thousand*
17	*seventeen*	2,000	*two thousand*
18	*eighteen*	3,000	*three thousand*
19	*nineteen*	10,000	*ten thousand*
20	*twenty*	100,000	*a hundred thousand*
30	*thirty*	1,000,000	*a / one million*
40	*forty*	20,000,000	*twenty million*

Les particularités

• Il y a un trait d'union entre les dizaines et les unités.

   Eighty-two years. Quatre-vingt-deux ans.

• Les dizaines et les unités après *hundred* et *thousand* sont précédées de *and*.

   2,001 = *two thousand and one.*

• Une virgule sépare les milliers des centaines.

   3,354 = *three thousands, three hundred and fifty-four.*

• Les décimales sont précédées d'un point qui se prononce. On lit chiffre après chiffre.

   2.5 = *two point five.*

• Le zéro

   0 = (GB) *nought* ; (US) *zero.*

Il se lit comme la lettre O dans les numéros de téléphone, de bus et de chambre d'hôtel.

Les adjectifs ordinaux

On ajoute *-th* à l'adjectif numéral.

   the 6th, the sixth, le sixième,
   the 11th, the eleventh, le onzième.

Exceptions :

   the 1st, the first, le premier,
   the 2nd, the second, le second,
   the 3rd, the third. le troisième.

Les dates

À l'écrit :

July 14th, 1789 – 14th July, 1789.

À l'oral :

(GB) *the fourteenth of July, seventeen eighty-nine.*
(US) *July fourteenth, seventeen eighty-nine.*

2. LES PRONOMS

Les pronoms sujets

je	*I*	vous	*you*
tu	*you*	ils	*they*
il	*he / it*	elles	*they*
elle	*she / it*	qui	*who / which*
nous	*we*	que	*who / which / that*

Les pronoms compléments

moi	*me*	nous	*us*
toi	*you*	vous	*you*
lui	*him / it*	eux	*them*
elle	*her / it*	elles	*them*

3. LES POSSESSIFS

mon / ma / mes	*my*	nos / notre	*our*
ton /ta / tes	*your*	votre / vos	*your*
son, sa, ses	*his / her / its*	leur / leurs	*their*

4. LES 10 QUANTIFIEURS

(un) peu de / quelques (pour des éléments qu'on peut compter)	*(a) few / (a) little*
assez de	*enough*
aucun / pas de	*no*
beaucoup de (+ nom pluriel)	*many / much / a lot of*
du, des	*some*
environ	*about*
tous / tout	*all*
un peu de	*some*

5. LES 20 PRÉPOSITIONS

à	*to / at*
à côté de	*near*
à propos de	*about*
au-dessus	*over*
autour de	*around*
avant	*before*

avec	*with*
dans	*in*
de	*of*
depuis /(en provenance) de	*from*
en bas	*down*
en dehors	*out*
entre	*between*
hors de, loin de	*off*
par	*by*
sous	*under*
sur	*on*
vers	*to*
vers l'intérieur de	*into*
vers le haut	*up*

6. LES 10 MOTS DE LIAISON

comme	*as*
d'abord	*first*
de	*of*
donc	*so*
ensuite	*then*
et	*and*
mais	*but*
parce que	*because*

| que / qui | *that* |
| si | *if* |

7. LES 10 MOTS INTERROGATIFS

à qui ?	*whose?*
combien de temps ?	*how long?*
combien ?	*how many? / how much?*
lequel / laquelle ?	*which?*
où ?	*where?*
pourquoi ?	*why?*
quand ?	*when?*
quelle quantité ?	*how much? / how many?*
qui ?	*who?*
quoi ?	*what?*

8. LES 10 ADVERBES

alors	*then*
aujourd'hui	*today*
de retour	*back*
hier	*yesterday*
ici	*here*
juste	*just*
là	*there*

maintenant	*now*
plus tard	*later*
seulement	*only*

9. LES 16 VERBES

acheter	*buy*
aimer	*like*
aller	*go*
appeler	*call*
avoir	*have*
devenir	*get*
devoir	*must*
dire	*say*
être	*be*
faire	*do / make*
obtenir	*get*
pouvoir	*can*
regarder	*look*
venir	*come*
voir	*see*
vouloir	*want*

10. LES 60 ADJECTIFS

affamé	*hungry*
amical	*friendly*
animé	*lively*
assoiffé	*thirsty*
autre	*other*
bas	*low*
bien	*well / fine*
bon	*good / tasty*
calme	*quiet*
cassé	*broken*
chaud	*hot*
clair	*clear*
court	*short*
difficile	*hard*
dur	*hard*
doux	*soft*
drôle	*funny*
effrayé	*afraid*
en avance	*early*
en retard	*late*
ennuyé	*bored*
énorme	*huge*
épicé	*spicy*
étrange	*strange*

exact / vrai	*right*
facile	*easy*
fatigué	*tired*
faux	*wrong*
fermé	*close*
fort	*strong*
froid	*cold*
génial	*terrific*
gentil	*kind*
grand	*big*
gros	*fat*
haut	*high*
heureux	*happy*
inquiet	*worried*
léger	*light*
lent	*slow*
lourd	*heavy*
malade	*ill*
minuscule	*tiny*
mouillé	*wet*
moyen	*average*
nouveau	*new*
ouvert	*open*
pauvre	*poor*
petit	*little / small*

plein	*full*
propre	*clean*
rapide	*fast*
réel	*real*
rond	*round*
sale	*dirty*
sombre	*dark*
stupide	*silly*
super	*great*
vide	*empty*
vieux	*old*
vrai	*real*

11. LES 25 VERBES CAMÉLÉONS

En anglais, beaucoup de verbes sont complétés par une préposition ou par une particule adverbiale qui en changent le sens, légèrement ou radicalement.

ask (someone) out	*inviter*
break down	*tomber en panne*
break up	*se séparer*
bring up (a child)	*élever (un enfant)*
catch up	*rattraper*
check in	*s'enregistrer (hôtel, aéroport)*
check out	*quitter (hôtel)*
do away with	*se débarrasser de*
drop out (of school)	*quitter (l'école)*
eat out	*aller au restaurant*
find out	*découvrir*
get along / on with	*bien s'entendre avec*
get back	*retourner*
get (something) back	*récupérer*
get together	*se voir (pour une sortie)*
get up	*se lever*
give back	*rendre*
give in	*céder*
give up	*abandonner, cesser*
go out	*sortir*

grow up	*grandir*
hang on	*attendre*
hang up	*raccrocher (téléphone)*
keep on + V-ing	*continuer de + V*
let (someone) down	*décevoir*
let (someone) in	*faire entrer*
look after	*s'occuper de*
look for	*chercher*
look forward to	*attendre avec impatience*
look out	*faire attention*
look (something) up	*rechercher (dictionnaire)*
pay back	*rembourser*
pay for	*payer*
pick out	*choisir*
put up with	*tolérer*
run away	*se sauver*
take off	*décoller (avion)*
take (something) off	*enlever (vêtements)*
turn off (the TV)	*arrêter (la télé)*
turn on (the TV)	*mettre (la télé)*
turn up	*arriver tout d'un coup*
use (something) up	*finir*
wake up	*(se) réveiller*
work out	*faire de l'exercice*

12. LES 40 PANNEAUX À COMPRENDRE

Caution	*Attention*
Road works ahead	*Travaux*
No left turn	*Interdit de tourner à gauche*
No right turn	*Interdit de tourner à droite*
One way street	*Rue à sens unique*
No entry	*Sens interdit*
No U-turn	*Demi-tour interdit*
Keep clear	*Arrêt interdit*
Two way traffic	*Voie à double sens*
Dual carriage way	*Section à 4 voies*
End of dual carriage way	*Fin de section à 4 voies*
Single file traffic	*Une seule file*
Slow down	*Ralentir*
Roundabout ahead	*Rond-point*
Right lane	*File de droite*
Left lane	*File de gauche*
Get in lane	*Mettez-vous dans votre file*
Traffic merge	*Jonction de circulation*
Level crossing	*Passage à niveau*
Pedestrian crossing	*Passage piéton*
Zebra crossing	*Passage piéton*
Dead end	*Impasse*
Yield	*Vous n'avez pas la priorité*
Give way	*Vous n'avez pas la priorité*

Narrow bridge ahead	*Pont étroit*
Road hump	*Dos d'âne*
Road narrows	*Voie rétrécie*
Low gear for	*Utilisez votre frein moteur*
Opening of swing bridge	*Pont-levis*
Traffic queues likely	*Risque de bouchon*
Speed camera	*Radar*
Maximum speed	*Vitesse maximum*
Bus and cycle lane	*Voie réservée aux cycles et bus*
Bus stand	*Réservé à l'arrêt des bus*
Pedestrian zone	*Zone piétonne*
Pay at machine	*Payez à l'horodateur*
Display ticket	*Mettez votre ticket en évidence*
Service area ahead	*Aire de service*
No hard shoulder	*Accotements non stabilisés*
Diversion	*Déviation*
Warning, oncoming vehicles	*Attention, véhicules en sens inverse*

13. LES 26 FAUX AMIS À REPÉRER

achieve: *accomplir* — *achever* : finish

actually: *en fait* — *actuellement* : now, at present

attend: *assister à une réunion* — *attendre* : wait

balance: *équilibre* — *balance* : scales

confidence: *confiance* — *confidence (faire une)* : tell a secret

contemplate: *envisager* — *contempler* : gaze at

deceive: *tromper* — *décevoir* : disappoint

entertain: *divertir, recevoir* — *entretenir (un bâtiment)* : maintain
entretenir (une famille) : support

eventually: *finalement* — *éventuellement* : possibly

extravagant: *exorbitant* — *extravagant* : crazy

fabric: *tissu, étoffe* — *fabrique* : factory

figure: *chiffre* — *figure (visage)* : face

hazard: *danger* — *hasard* : chance

injury: *blessure* — *injure* : insult

journey: *voyage* — *journée* : a day

library: *bibliothèque* — *librairie* : bookshop

parking: *stationnement* — *place de parking* : parking space

petrol: *essence* — *pétrole* : oil, petroleum

prevent: *empêcher* — *prévenir* : warn

regard: *considérer* — *regarder* : look at

résumé: *curriculum vitae* — *résumé* : summary

resume: *reprendre* — *résumer* : sum up

rude: *grossier* — *rude* : rough, tough

sensible: *raisonnable* — *sensible* : sensitive

support: *soutenir, subvenir aux besoins de quelqu'un* — *supporter (les conséquences...)*: bear

trouble: *difficulté, problème* — *trouble* : unclear, blurred

14. LA PRONONCIATION
Les sons
Beaucoup de sons de l'anglais, en particulier les voyelles, sont différents de ceux du français.

Les voyelles brèves
Elles sont plus brèves et moins tendues que les voyelles françaises.

[I]   *sit* : se rapproche du [e].
[e]   *bed* : proche du son français de « belle ».
[æ]   *cat* : situé entre le <a> et le <é>.
[ʌ]   *cut* : au milieu de la bouche.
[ɒ]   *pot* : un peu comme quand on prononce « bof ».
[u]   *bull* : plus bref que le son de « boule ».
[ə]   *again* : voyelle neutre, toujours inaccentuée, très fréquente pour la forme faible des mots grammaticaux. Elle n'existe pas dans les mots d'une syllabe.

Les voyelles longues
Elles sont plus longues et plus tendues que les voyelles françaises.

[u:]   *moon* : les lèvres se tirent en avant.
[i:]   *sheep* : les lèvres s'étirent.

[ɜ:]   *bird* : proche du mot « cœur ».

[ɔ:]   *door* : très profond dans la gorge.

[ɑ:]   *car* : entre le « ah » et le « oh » que l'on prononce quand on est choqué.

Les diphtongues

Elles sont composées de deux voyelles simples réunies en un seul son. On accentue fortement la première et on glisse sur la seconde.

[eɪ]   *cake*

[əʊ]   *boat*

[aʊ]   *cow*

[eə]   *bear*

Quelques consonnes

Le 'th' : se situe vers le <f> ou le <v>. Pour le prononcer correctement, insérez la langue entre les dents pour empêcher l'air de passer.

   think – there – they

Le 'r' : se rapproche de la prononciation française du <w> ; il faut arrondir les lèvres et retrousser le bout de la langue.

   rat – rose

Le 'h' : n'est pas aspiré mais expiré. Placez la main devant la bouche, vous devez sentir l'air.

  a house – a hill

Rythme et accentuation

En anglais, on accentue très fort certaines parties des mots ou des phrases et très faiblement d'autres parties.

L'accent de mot

Tous les mots de plus d'une syllabe comportent une syllabe accentuée. Le dictionnaire vous la signale. Nous mettons en gras les voyelles accentuées dans les listes de mots.

  *Am**e**rica – tra**di**tion – **cu**lture – im**a**gine*

Rythme et accent de phrase

Le rythme de l'anglais vient de la succession de mots accentués – auxquels on accorde du temps et, surtout, de l'énergie – et de mots inaccentués sur lesquels on « glisse ». À l'intérieur d'une phrase, les mots importants sont plus accentués que les autres.

  *It's **ex**cellent for your **bo**dy to eat **fruit** and **ve**getables.*

Les mots grammaticaux sont normalement inaccentués : prépositions, articles, pronoms, adjectifs possessifs, etc.

POUR TOUT DIRE
La partie français / anglais

Les mots français classés par thèmes
et traduits en anglais

1 - LES GENS & LA FAMILLE
People & family

Français / Anglais

Pour nommer les personnes

adolescent	*teen*
ami	*friend*
amoureux	*lover*
bébé	*baby*
collègue	*colleague*
correspondant(e)	*pen-friend*
enfant	*child*
épouse	*wife*
famille	*family*
fille	*daughter / girl*
frère	*brother*
garçon	*boy*
grand-mère	*grandmother*
grand-père	*grandfather*
invité	*guest*
jeune	*youngster / kid*
maman	*mum*
mari	*husband*
marié	*married*

mère	*mother*
Melle, M, Mme	*Mr, Mrs, Ms Miss,*
nom de famille	*surname*
nouveau-né	*newborn / infant*
papa	*dad(dy)*
père	*father*
petite-fille	*granddaughter*
petit-fils	*grandson*
sénior	*senior citizen*
sœur	*sister*
voisin	*neighbour*

Pour décrire les personnes

ambitieux	*ambitious*
amical	*friendly*
bavard	*talkative*
bon	*kind*
calme	*calm / quiet*
égoïste	*selfish*
fiable	*reliable*
en retard	*late*
généreux	*generous*
grand	*tall*
maigre	*skinny*

malhonnête	*dishonest*
mince	*thin*
optimiste	*optimistic*
ouvert (d'esprit)	*open-minded*
paresseux	*lazy*
pessimiste	*pessimistic*
petit	*short / small*
radin	*stingy*
sociable	*outgoing*
stature moyenne (de)	*average build*
surpoids (en)	*overweight*
taille moyenne (de)	*average height*
timide	*shy*
travailleur	*hardworking*

Français / Anglais

Expressions
On ne peut pas compter sur lui.
He is unreliable.

2 - LE VOYAGE & LES TRANSPORTS
Travel & transport

Français / Anglais

À l'aéroport

aéroport	*airport*
annonce	*announcement*
avion	*plane*
bagage de cabine	*carry-on luggage*
billet électronique	*e-ticket (electronic ticket)*
billets d'avion	*plane tickets*
carte d'accès à bord	*boarding pass*
ceinture de sécurité	*seat belt*
contrôle de sécurité	*security checkpoint*
contrôleur de sécurité	*security officer*
couloir (dans l'avion)	*aisle*
embarquer	*board*
gilet de sauvetage	*life jacket*
papiers (passeport, visa)	*documents*
passager	*passenger*
retard	*delay*
siège	*seat*
siège près du hublot	*window seat*
sortie de secours	*emergency exit*
steward	*flight attendant*

vol	*flight*
zone d'embarquement	*boarding area*

En ville, sur la route, etc.

agence de voyage	*travel agency*
arrêt d'autobus	*bus stop*
arrêter	*stop*
attendre	*wait*
auberge de jeunesse	*youth hostel*
auberge	*inn*
automobiliste	*motorist*
autoroute	*highway / motorway*
bagages	*luggage*
bateau	*boat*
billet	*ticket*
bondé	*crowded*
camion	*lorry (GB) truck (US)*
campagne	*country*
car	*coach*
carrefour	*crossroads*
carte / plan	*map*
chemin de fer	*railway*
circulation	*traffic*
compartiment à bagages	*overhead compartment*

comptoir de vente de billets	*ticket counter*
conducteur	*driver*
conduire	*drive*
conduite	*driving*
contrôleur	*conductor*
correspondance	*transfer*
croisement	*crossing*
croisière	*cruise*
demander	*ask*
distributeur de billets	*ticket machine*
droit(e)	*right*
embarquer	*get on / board*
essence	*petrol (GB) gas (US)*
être debout	*stand*
fenêtre	*window*
feux / lumières	*lights*
feux de circulation	*traffic lights*
freiner	*brake*
funiculaire	*cable car*
gare / station	*station*
garer (se)	*park*
gauche	*left*
guide (livre)	*guidebook*
guide (personne)	*guide*
hébergement	*accommodation*

Français / Anglais

hélicoptère	*helicopter*
horaire	*schedule*
ligne de métro	*subway line*
location de voiture	*car rental*
loin	*far*
manquer	*miss*
mécanicien	*mechanic*
métro	*subway (US) /*
	underground (GB)
miroir	*mirror*
monnaie	*currency*
moteur	*engine*
navire	*ship*
passeport	*passport*
permis	*licence*
pétrole	*oil*
piéton	*pedestrian*
piste cyclable	*bicycle lane*
pneu	*tyre*
pont	*bridge*
porte	*gate*
prendre un siège	*take a seat*
prix du billet	*fare*
quai	*platform*
quitter	*leave*

réparation	*repair*
réparer	*repair*
réserver une chambre	*book a room*
retardé	*delayed*
retarder	*delay*
retour	*return*
retourner	*return*
rond-point	*roundabout*
roue	*wheel*
route (chemin)	*way*
route	*road*
rue	*street*
se déplacer	*move*
sortir	*get off*
station de métro	*subway station*
station de taxis	*taxi stand*
straight	*tout droit*
technicien	*engineer*
ticket de forfait	*bus pass*
toilettes	*lavatory*
tout droit	*straight on*
transférer	*transfer*
vaccins	*vaccinations*
valise	*suitcase*
vide	*empty*

Français / Anglais

voile	*sailing*
voiture	*car*
voler	*fly*
voyage	*travel / journey / trip*
voyager	*tour*

À la gare

Un aller-retour pour Londres, s'il vous plaît.
   A return ticket to London, please.
Je voudrais un aller simple pour Glasgow.
   I'd like a single to Glasgow.
Combien coûte un aller-retour pour Douvres ?
What's the fare for a return to Dover?
Mon train part à 19 h 30.
   My train leaves at 7:30.
Où est la station de taxi la plus proche ?
   Where is the nearest taxi-station?

À l'hôtel

Je voudrais réserver une chambre.
   I'd like to book a room.
À quel prix est la chambre ?
   How much is the room?

Le petit déjeuner est compris ?
Is breakfast included ?

Puis-je laisser mes bagages jusque 4 heures ?
Can I leave my luggage until 4?

J'ai besoin de…
I need…

Français / Anglais

Expressions

As-tu fait bon voyage ?
Did you have a nice trip?

Bon voyage !
Have a nice trip!

Est-ce que vous vous plaisez ici ?
Are you enjoying your trip?

3 – LES BÂTIMENTS & LES LIEUX
Buildings & places

Français / Anglais

appartement	*flat (GB) / apartment (US)*
ascenseur	*lift*
banque	*bank*
bâtiment	*building*
bibliothèque	*library*
bureau	*office*
cathédrale	*cathedral*
centre sportif	*sports centre*
château	*castle*
coin	*corner*
discothèque	*disco*
école	*school*
église	*church*
entrée	*entrance*
exposition	*exhibition*
ferme	*farm*
hôpital	*hospital*
librairie	*bookshop*
logement	*accomodation*
magasin	*shop*

maison	*house*
marchand de journaux	*newsagent*
marché	*market*
musée	*museum*
parc	*park*
pension de famille	*guesthouse*
piscine	*swimming pool*
place	*square (GB)*
poste	*post office*
poste de police	*police station*
rivière	*river*
route	*road*
rue	*street*
ruine	*ruin*
sortie	*exit*
stade	*stadium*
station-service	*petrol station (GB)*
grand magasin	*department store*
supermarché	*supermarket*
terrain de camping	*campsite*
théâtre	*theatre*
université	*college / university*
usine	*factory*
ville	*city / town*

Français / Anglais

Expressions

Je voudrais louer une voiture.

I'd like to rent a car.

Quand dois-je rendre la voiture ?

When do I need to return the car?

Je voudrais annuler ma réservation.

I'd like to cancel my reservation.

Je voudrais réserver une table pour deux pour ce soir.

I'd like to book a table for two for tonight.

Où est la poste la plus proche ?

Where is the nearest post office?

Où puis-je trouver un logement pour ce soir ?

Where can I find accomodation for tonight?

Pourriez-vous m'indiquer le chemin le plus court pour aller au commissariat ?

Could you show me the shortest way to the police station?

Pouvez-vous me confirmer l'heure du départ ?

Can you confirm departure time?

4 – LA NOURRITURE &
LES RESTAURANTS
Food & restaurants

assiette	*plate*
banane	*banana*
beurre	*butter*
boire	*drink*
boisson	*drink*
boîte	*box*
boîte de conserve	*can*
bol	*bowl*
bon marché	*cheap*
bouillir (faire)	*boil*
bouteille	*bottle*
brûler	*burn*
cabine	*booth*
café (boisson)	*coffee*
café (lieu)	*coffee shop*
carotte	*carrot*
casser	*break*
cher	*expensive*
citron	*lemon*
client	*customer*

Français / Anglais

confiture	*jam*
couper	*cut*
couteau	*knife*
crème	*cream*
crème glacée	*ice cream*
cuisine	*kitchen*
cuisiner	*cook*
cuisinier	*cook*
cuisinière (appareil)	*cooker*
déjeuner	*lunch*
dessert / sucré	*sweet*
diner	*dinner*
eau	*water*
épicé	*spicy*
faim (avoir)	*hungry (be)*
fourchette	*fork*
frire	*fry*
frit	*fried*
frites	*chips (GB) / French fries (US)*
fromage	*cheese*
fruit(s)	*fruit*
gâteau	*cake*
glace	*ice*
griller	*grill*

Français / Anglais

hôte / hôtesse	*host (hostess)*
huile	*oil*
immangeable	*inedible*
jus	*juice*
lait	*milk*
légume	*vegetable*
limonade	*lemonade*
manger	*eat*
morceau de gâteau	*bit of cake*
morceau de gâteau	*piece of cake*
nourriture	*food*
œuf	*egg*
oignon	*onion*
pain	*bread*
pâtes	*pasta*
petit déjeuner	*breakfast*
pizzeria	*pizza parlor (US)*
plat	*dish*
plat du jour	*special of the day*
plat principal	*main course*
poisson	*fish*
poivre	*pepper*
pomme	*apple*
pomme de terre	*potato*
poulet	*chicken*

pourboire	*tip*
raisin	*grape*
raisonable	*reasonable*
reçu	*receipt*
réfrigérateur	*fridge*
repas léger	*snack*
repas	*meal*
restaurant rapide	*fast food restaurant*
riz	*rice*
rôtir / rôti	*roast*
salade	*salad*
salty	*salé*
sel	*salt*
serveur	*waiter*
serveuse	*waitress*
soif	*thirsty (be)*
succulent	*delicious*
sucre	*sugar*
tasse	*cup*
thé	*tea*
tomate	*tomato*
traiteur	*deli*
tranche	*slice*
vaisselle (faire la)	*wash up*
verre	*glass*

viande   *meat*

Français / Anglais

Expressions

Qu'est-ce que vous recommandez ?
> *What do you recommend?*

Une table pour deux, s'il vous plaît.
> *A table for two, please.*

Pourrions-nous avoir le menu, je vous prie ?
> *Could we have the menu, please?*

Le service est-il compris ?
> *Is service included?*

Bon appétit !
> *Enjoy your meal!*

À votre santé !
> *Cheers!*

L'addition, s'il vous plaît !
> *Could we have the bill, please?*

Je crois qu'il y a une erreur dans l'addition.
> *I think there's a mistake in the bill.*

5 - LE TEMPS
Time

Français / Anglais

année	*year*
anniversaire	*birthday*
après-midi	*afternoon*
aujourd'hui	*today*
automne	*autumn*
ce soir	*tonight*
degré	*degree*
demain	*tomorrow*
été	*summer*
hebdomadaire	*weekly*
heure	*hour*
hier	*yesterday*
hiver	*winter*
instant	*moment*
journalier	*daily*
matin	*morning*
mensuel	*monthly*
midi	*noon*
mile (= 1,60 kilomètre)	*mile*
minuit	*midnight*
mois	*month*

moitié	*half*
nuit	*night*
pendule	*clock*
printemps	*spring*
quart	*quarter*
rendez-vous	*appointment*
réunion	*meeting*
semaine	*week*
seconde	*second*
siècle	*century*
soir	*evening*
temps (durée, heure)	*time*
vacances	*holidays*

Les jours de la semaine
(toujours avec une majuscule)

The days of the week :
Sunday, Monday, Tuesday, Wednesday, Thursday, Friday, Saturday.

Les mois de l'année
(toujours avec une majuscule)

The months of the year :
January, February, March, April, May, June, July,
August, September, October, November, December.

L'heure
Il est deux heures.
> *It's two o'clock.*

Il est 17 heures (5 heures de l'après-midi).
> *It's 5 p.m.*

Il est six heures du matin.
> *It's 6 a.m.*

Il est 1 h 10.
> *It's 10 past one.*

Il est une heure moins dix.
> *It's 10 to one.*

Français / Anglais

6 - LA MAISON
The home

Français / Anglais

adresse	*address*
appareil photo	*camera*
appartement	*apartment (US)*
	flat (GB)
ascenseur	*elevator (US)*
assiette	*plate*
bail	*lease*
bain	*bath*
boîte	*box*
boîte aux lettres	*mailbox*
bureau (meuble)	*desk*
caméra	*video recorder*
canapé	*sofa*
chaise	*chair*
chambre	*(bed)room*
chambre libre	*vacancy*
chauffage	*heating*
clé	*key*
copain de chambre	*roommate*
cour	*yard*
couverture	*blanket*

cuisine	*kitchen*
dépôt de garantie	*security deposit*
dortoir	*dormitory*
douche	*shower*
en bas	*downstairs*
en sécurité	*safe*
entrée	*hall*
équipement	*facilities*
escalier	*stairway*
étagère	*(book)shelf*
facture de gaz	*gas bill*
gazinière	*cooker*
jardin	*garden*
lampe	*lamp*
lingerie	*laundry room*
lit	*bed*
locataire	*tenant*
logement	*housing*
louer / loyer	*rent*
lumières	*lights*
magnétophone	*tape recorder*
maison	*home*
maison (bâtiment)	*house*
meublé	*furnished*
meubles	*furniture*

ordinateur	*computer*
oreiller	*pillow*
parking	*parking lot (US)*
pendule	*clock*
placard	*cupboard*
place de parking	*parking space*
portail	*gate*
porte	*door*
premier étage	*second floor*
propriétaire	*landlord*
réfrigérateur	*fridge*
rester	*stay*
rez-de-chaussée	*first floor*
salle à manger	*dining room*
salle de bain	*bathroom*
salle de séjour	*living room*
salon	*sitting room*
séchoir à cheveux	*hairdryer*
séjour	*stay*
serviette	*towel*
sol	*floor*
tasse	*cup*
téléphone	*phone*
téléphone portable	*mobile (phone)*
toilettes	*toilet*

| toit | *roof* |
| vivre | *live* |

7 - LES COURSES & L'ARGENT
Shopping & money

Français / Anglais

à vendre	*for sale*
acheter	*buy*
animalerie	*pet store*
bibliothèque	*library*
bon marché	*cheap*
centime	*cent*
centre commercial	*shopping mall (US)*
carte de crédit	*credit card*
change / changer	*change*
changer de l'argent	*exchange money*
chèque	*cheque (GB)*
	check (US)
cher	*expensive*
cinéma	*movie theater*
client	*customer*
client	*shopper*
commander	*order*
coût / coûter	*cost*
dépenser	*spend*
déposer	*deposit*
dépôt	*deposit*

essayer (un vêtement)	*try on*
facture	*bill*
fermé	*closed*
fermer	*close*
grand magasin	*department store*
laverie automatique	*laundromat*
les courses (faire)	*shopping (go)*
librairie	*bookshop*
librairie	*bookstore (US)*
liquid (argent)	*cash*
magasin	*shop*
magasin de location de DVD	*video rental store*
ouvrir / ouvert(e)	*open*
payer	*pay (for)*
poste	*post office*
prendre un crédit	*take out a loan*
prix	*price*
quincaillerie	*hardware store*
retirer de l'argent	*withdraw money*
salon d'esthétique	*beauty salon*
supermarché	*supermarket*
transférer de l'argent	*transfer money*
vendeur (euse)	*shop assistant*

Français / Anglais

La monnaie anglaise

£1 = *one pound* une livre sterling

£1 = *100 pence* (prononcé « p »)

La monnaie américaine

$1 = *one dollar* un dollar ; $1 = *100 cents*

Expressions

J'ai déposé 100 dollars hier.

I deposited $100 yesterday.

Je voudrais ouvrir un compte.

I'd like to open a checking account.

Combien ça coûte ?

How much is this?

Je voudrais encaisser ce chèque de voyage.

I want to cash this traveler's check.

Je voudrais déposer ceci sur mon compte.

I'd like to credit this to my account.

Désolé, je n'ai pas de monnaie.

Sorry, I have no change.

8 - LES VÊTEMENTS & LES ACCESSOIRES
Clothes & accessories

Français / Anglais

à la mode	*trendy / in fashion*
bague	*ring*
baskets	*trainers*
bottes	*boot*
ceinture	*belt*
chapeau	*hat*
chaussure	*shoe*
chemise	*shirt*
chemisier	*blouse*
collants	*tights*
costume	*suit*
cravate	*tie*
enlever (un vêtement)	*take off*
essayer (un vêtement)	*try on*
habiller (s')	*dress*
imperméable	*raincoat*
jupe	*skirt*
lunettes	*glasses*
lunettes de soleil	*sunglasses*
manteau	*coat*

mettre (un vêtement)	*put on*
occasion (d')	*second-hand*
pantalon	*trousers*
parapluie	*umbrella*
poche	*pocket*
porte-monnaie	*wallet (US) / purse (GB)*
porter (un vêtement)	*wear*
robe	*dress*
sac	*bag*
sac à main	*purse (GB)*
short	*shorts*
sweat	*shirt sweater*
T-shirt	*T-shirt*
veste	*jacket*
vêtements	*clothes*

Les couleurs

blanc	*white*
noir	*black*
gris	*grey*
rouge	*red*
bleu	*blue*
rose	*pink*
vert	*green*

marron	*brown*
orange	*orange*
jaune	*yellow*
violet	*purple*

Expressions

C'est combien ?
> *How much is it?*

C'est trop grand / trop petit.
> *It's too big / too small.*

C'est trop étroit.
> *It's too tight.*

Ce n'est pas ma taille.
> *It's not my size.*

Pourrais-je avoir une taille plus grande ?
> *Could I have a bigger size?*

Français / Anglais

9 - LE SPORT & LES LOISIRS
Sport & leisure

Français / Anglais

amuser (s')	*have fun*
appareil photo	*camera*
appeler	*call*
attraper	*catch*
balle	*ball*
baskets	*trainers*
bateau	*boat*
bicyclette	*bicycle / bike*
camper	*camp*
chance	*luck*
chant	*song*
chanter	*sing*
chanteur	*singer*
cinéma	*movie theater*
collectionner des timbres	*collect stamps*
conférence	*talk*
courir	*run*
course	*race*
danser	*dance*
dessin	*drawing*
dessiner	*draw*

échecs (jouer aux)	*chess (play)*
écouter	*listen to*
écrivain	*writer*
équipe	*team*
équitation	*riding*
exposition	*exhibition*
faire du cheval / du vélo	*ride*
faire la queue	*wait in line*
fatigué	*tired*
fête	*party*
gagnant	*winner*
gagner	*win*
grimper	*climb*
groupe (musique)	*band*
image	*picture*
jardinage	*gardening*
jeter	*throw*
jeu	*game*
jouer	*play*
joueur	*player*
journal	*newspaper*
lecture	*reading*
lire	*read*
livre	*book*
loisir	*hobby*

Français / Anglais

marcher	*walk*
membre	*member*
mer	*sea*
merveilleux	*marvelous / wonderful*
musée	*museum*
nager	*swim*
natation	*swimming*
nouvelles	*news*
parler	*talk*
passionnant	*exciting*
pêche	*fishing*
peindre	*paint*
peintre	*painter*
peinture	*painting*
photo (la)	*photography*
photo (une)	*photo(graph)*
photographe	*photographer*
piano (jouer du)	*piano (play the)*
pièce (théâtre)	*play*
ping-pong	*table tennis*
piscine	*pool*
plage	*beach*
pratique (sport ou loisir)	*practice*
pratiquer	*practise*
prendre un verre	*have a drink*

prix (récompense)	*prize*
publicité	*advertisement*
randonnée	*hiking*
regarder	*look at / watch*
repos / se reposer	*rest*
rire	*laugh*
ski / faire du ski	*ski*
souris	*mouse*
spectacle / montrer	*show*
stade	*stadium*
super	*terrific*
tambour	*drum*
terrain de camping	*campsite*
tricot	*knitting*
vacances	*holidays*
voile	*sailing*

Les noms de sports
baseball – basketball – football – golf – hockey – tennis – volleyball

10 - LA NATURE & LA MÉTÉO
Nature & weather

Français / Anglais

arbre	*tree*
averse	*shower*
bois	*wood*
brise (vent)	*breeze*
brouillard	*fog*
campagne	*countryside*
campagne	*country*
champ	*field*
chaud	*warm*
chaud (très)	*hot*
ciel	*sky*
clair	*clear*
colline	*hill*
coucher du soleil	*sunset*
eau	*water*
éclair	*lightening*
ensoleillé	*sunny*
espace	*space*
été	*summer*
étoile	*star*
extérieur	*outdoor*

feu	*fire*
fleur	*flower*
forêt	*forest*
frais	*chilly*
froid	*cold*
geler	*freeze*
glace	*ice*
gouttes de pluie	*raindrops*
grêle	*hail*
herbe	*grass*
hiver	*winter*
humide	*damp*
humide	*wet*
île	*island*
lac	*lake*
laine	*wool*
lever du soleil	*sunrise*
lune	*moon*
mer	*sea*
météo	*weather forecast*
monde	*world*
montagne	*mountain*
neige / neiger	*snow*
neigeux	*snowy*
nuage	*cloud*

Français / Anglais

nuageux	*cloudy*
orage	*thunderstorm*
ouragan	*hurricane*
pays	*country*
plage	*beach*
pluie / pleuvoir	*rain*
pluvieux	*rainy*
pousser / faire pousser	*grow*
printemps	*spring*
rivière	*river*
sec	*dry*
soleil	*sun*
tempête	*storm*
temps	*weather*
tonnerre	*thunder*
vent	*wind*

Les directions
East – North – West – South

Expressions

Il y a du brouillard.
> *It is foggy.*

Il neige.
> *It's snowing.*

Il pleut.
> *It's raining.*

Il pleut des cordes
> *It's raining cats and dogs.*

Il y a du vent.
> *It's windy.*

11 - LE CORPS & LA SANTÉ
Body & health

Français / Anglais

assurance	*insurance*
avoir froid	*be cold*
bras	*arm*
brosse à dents	*toothbrush*
brûler	*burn*
casser	*break*
cheveux	*hair*
cœur	*heart*
corps	*body*
cou	*neck*
coucher (se)	*lie down*
coup de soleil	*sunburn*
couper	*cut*
coupure	*cut*
dangereux	*dangerous*
dent	*tooth*
dentiste	*dentist*
diarrhée	*diarrhea*
docteur	*doctor*
dos	*back*
douleur	*pain*

entendre	*hear*
estomac	*stomach*
faire mal	*hurt*
fatigue	*tiredness*
fièvre	*fever*
gorge	*throat*
grippe	*flu*
hoquet	*hiccups*
infirmier	*nurse*
jambe	*leg*
main	*hand*
mal à la tête	*headache*
malade	*ill*
malade	*sick*
médicament	*medicine*
mort	*dead*
mourir	*die*
nettoyer	*clean*
nez	*nose*
œil	*eye*
oreille	*ear*
peau sèche	*dry skin*
peigne / peigner	*comb*
pharmacie	*pharmacy*
pharmacien	*chemist*

Français / Anglais

pied	*foot*
poil	*hair*
propre	*clean*
régime	*diet*
rendez-vous	*appointment*
repos	*rest*
reposer (se)	*rest*
rhume	*cold*
rougeole	*measles*
savon	*soap*
sentir (se)	*feel*
sida	*AIDS*
sommeil / dormir	*sleep*
tête	*head*
tomber	*fall*
toux / tousser	*cough*
verifier	*check*
visage	*face*

Expressions

Mettre (se) au régime.
    Go on a diet.
J'ai mal à la tête.
    I have a headache.

J'ai besoin de repos.
  I need a rest.
J'ai mal à la gorge.
  I have a sore throat.
J'ai mal à l'estomac.
  I have a stomachache.
J'ai mal aux dents.
  I have a toothache.
Je ne me sens pas bien.
  I don't feel well.

12 - LE TRAVAIL & LES ÉTUDES
Work & studies

Français / Anglais

acteur	*actor*
actrice	*actress*
affaires	*business*
aller à une réunion	*go to a meeting*
aller déjeuner	*go out to lunch*
aller en vacances	*go on vacation*
aller en voyage d'affaires	*go on a business trip*
apprendre	*learn*
avoir une augmentation	*get a raise*
avoir une promotion	*get a promotion*
banlieusard	*commuter*
bureau (meuble)	*desk*
bureau (pièce)	*office*
changer de travail	*change jobs*
chef (cuisine)	*chef*
classe (groupe)	*class*
classe (salle)	*classroom*
client	*customer*
coiffeur	*hairdresser*
collègue	*colleague*
conducteur de bus	*bus operator*

conducteur	*driver*
conseil (administration)	*board*
consignes	*instructions*
cours	*course*
débutant	*beginner*
dentiste	*dentist*
dessiner des plans	*draw up plans*
dictionnaire	*dictionary*
diplôme	*diploma*
directeur	*manager*
élève	*pupil*
enseigner	*teach*
envoyer un fax	*send a fax*
étagère	*bookshelf*
être licencié	*get fired*
études	*studies*
étudiant	*student*
étudier / étude	*study*
examen	*exam(ination)*
faire des photocopies	*make copies*
faire un exposé	*give a presentation*
femme d'affaires	*businesswoman*
ferme	*farm*
fermier	*farmer*
fonctionnaire	*public official*

Français / Anglais

agner	*earn*
géographie	*geography*
histoire	*history*
homme d'affaires	*businessman*
infirmier (-ère)	*nurse*
intelligent	*clever*
invité	*guest*
juriste	*lawyer*
lettre	*letter*
lire	*read*
livre	*book*
mathématiques	*mathematics*
matière	*subject*
mécanicien	*mechanic*
métier	*job*
niveau	*level*
officier de police	*police officer*
ordinateur	*computer*
ouvrier	*worker*
patron	*boss*
peintre	*painter*
personnel	*staff*
pharmacien	*chemist*
pompier	*fire fighter*
prendre un jour de congé	*take a day off*

professeur (université)	*professor*
professeur	*teacher*
profession	*occupation*
rédiger un rapport	*write a report*
rédiger une proposition	*write a proposal*
reine	*queen*
rencontrer un client	*meet with a client*
retourner chez soi	*go home*
réunion	*meeting*
roi	*king*
savoir	*know*
se souvenir	*remember*
secrétaire	*secretary*
serveur	*waiter*
serveuse	*waitress*
société	*company*
technicien	*engineer*
teinturier	*cleaner*
test / tester	*test*
travail / travailler	*work*
travail à la maison	*homework*
université	*college*
usine	*factory*
vendeur (-euse)	*shop assistant*
vendeur	*sales clerk*

POUR TOUT COMPRENDRE
La partie anglais / français

Les expressions utiles
classées par thèmes

LES 15 EXPRESSIONS INDISPENSABLES

My name's Jane. What's yours?
Je m'appelle Jane. Et vous ?

How do you do?
Comment allez-vous ?

Pleased to meet you.
Ravi(e) de vous rencontrer.

I love being here.
J'adore être ici.

Where were you born?
Où êtes-vous né ?

What is your country like?
Comment est votre pays ?

Where's the toilet / ladies / gents, please?
Où sont les toilettes, s'il vous plaît ?

What are you doing tonight?
Que fais-tu ce soir ?

What about having something to drink?
Si on prenait un verre ?

Would you like a soft drink?
Voulez-vous un soda ?

Yes, please. I'd love one.
Oui, s'il vous plaît. J'aimerais beaucoup en avoir un.

Anglais / Français

Would you like me to show you around?

Voulez-vous que je vous fasse visiter le coin ?

It was lovely meeting you.

Je suis ravi de vous avoir rencontré.

I had a great time.

J'ai passé un très bon moment.

Thanks for asking me out.

Merci de m'avoir invité.

Attention !

À la question *How do you do?*

on répond par *How do you do?*

À la question *How are you?*

on répond par *I'm very well / I'm fine, thank you.*

1 - PEOPLE & FAMILY
Les gens & la famille

Expressions

My mother's name is…
Ma mère s'appelle…
I've got two brothers.
J'ai deux frères.
This is my best friend.
C'est mon meilleur ami.
How many children do you have?
Combien d'enfants avez-vous ?

L'âge

She is 30.
Elle a 30 ans.
He is in his eighties.
Il a environ 80 ans.

Les caractères

He is unreliable.
On ne peut pas compter sur lui.

Anglais / Français

She is really self-centred.
Elle est vraiment centrée sur elle-même
You're in a bad mood!
Tu es de mauvaise humeur !
This child is a pain in the neck!
Ce gamin est une plaie !
She looks happy.
Elle a l'air heureuse.

2 - TRAVEL & TRANSPORT
Le voyage & les transports

À l'aéroport

Proceed to the baggage claim area.

Allez vers la zone de récupération des bagages.

The flight is delayed.

Le vol est retardé.

The flight is cancelled.

Le vol est annulé.

Now boarding.

Embarquement immédiat.

Fasten your safety belts.

Attachez vos ceintures.

Immediate boarding gate B.

Embarquement immédiat porte B.

En train, en ville, sur la route, etc.

The tourist office is across the street.

L'office de tourisme est de l'autre côté de la rue.

Would you like to buy a return ticket?

Voulez-vous acheter un billet aller/retour ?

Anglais / Français

No U-turn.
> *Demi-tour interdit.*

The train is scheduled to arrive at 6 p.m.
> *L'arrivée du train est prévue à 6 h ce soir.*

The train is pulling into the station.
> *Le train entre en gare.*

3 – BUILDINGS & PLACES
Les bâtiments & les lieux

Go to the tourist office.
> *Allez à l'office de tourisme.*

Call the front desk.
> *Appelez la réception.*

You can cancel your reservation.
> *Vous pouvez annuler votre réservation.*

Have you made a reservation?
> *Avez-vous réservé ?*

You can order room service.
> *Vous pouvez vous faire servir dans la chambre.*

I'd like to rent a car.
> *Je voudrais louer une voiture.*

It's down town.
> *C'est en centre-ville.*

Anglais / Français

4 – FOOD & RESTAURANTS
La nourriture & les restaurants

Are you ready to order?
>   *Êtes-vous prêt à passer la commande ?*

No, not yet.
>   *Non, pas encore.*

Would you care for anything else?
>   *Voudriez-vous autre chose ?*

No, that's all.
>   *Non, ça suffit.*

Could I have the bill, please?
>   *Puis-je avoir l'addition, s'il vous plaît ?*

Sure, I'll be right back.
>   *Bien sûr, je reviens tout de suite.*

Cheers!
>   *À votre santé !*

What do you recommend?
>   *Que recommandez-vous ?*

5 – TIME & MEASUREMENTS
Le temps

L'heure

It's two o'clock.
> *Il est deux heures.*

It's 5 p.m.
> *Il est 17 heures (5 heures de l'après-midi).*

It's 6 a.m.
> *Il est six heures du matin.*

It's 10 past one.
> *Il est 1 h 10.*

It's 10 to one.
> *Il est une heure moins dix.*

La durée

How long will you stay there ?
> *Combien de temps allez-vous y rester ?*

Anglais / Français

6 - AT THE HOTEL
À l'hôtel

Do you have any laundry ?

Avez-vous du linge sale à laver ?

On request, we can provide you with an iron and ironin
board.

*À votre demande, nous pouvons vous fournir un
fer et une planche à repasser.*

There are no cooking facilities in the room.

*Il n'y a pas la possibilité de faire la cuisine dans la
chambre.*

Do you want me to vacuum?

Voulez-vous que je passe l'aspirateur ?

7 - SHOPPING & MONEY
Les courses & l'argent

Expressions

I need to go shopping.
> *Il faut que j'aille faire les courses.*

Check your account balance.
> *Vérifiez l'état de votre compte.*

Please, fill out a withdraw slip.
> *S'il vous plaît, remplissez un formulaire de retrait.*

You can pay your bills online.
> *Vous pouvez payer vos factures par internet.*

I'm afraid this article is sold out.
> *J'ai bien peur que cet article ne soit épuisé.*

La monnaie anglaise

£1 = one pound *une livre sterling*

£1 = 100 pence *(prononcé « p »)*

La monnaie américaine

$1 = one dollar *un dollar ;* $1 = 100 cents

Anglais / Français

8 - CLOTHES & ACCESSORIES
Les vêtements & les accessoires

Expressions

It fits you.

> *Cela vous va bien (la taille).*

It suits you.

> *Cela vous va bien (la couleur).*

These shoes match your skirt.

> *Ces chaussures sont assorties à votre jupe.*

The sizes range from 8 to18.

> *Les tailles vont du 36 au 46.*

Proceed to the cash register, please.

> *Avancez-vous aux caisses je vous prie.*

He has just launched his new line.

> *Il vient juste de lancer sa nouvelle collection.*

9 - SPORT & LEISURE
Le sport & les loisirs

Expressions

Do you want to play a game of cards?

Voulez-vous jouer aux cartes ?

You can do gym here.

Vous pouvez faire de la gymnastique ici.

I'd like to go horseriding.

J'aimerais faire de l'équitation.

I think I'm going to stay in bed late.

Je pense que je vais faire la grasse matinée.

I love gardening.

J'adore faire du jardinage.

Anglais / Français

10 - NATURE & WEATHER
La nature & la météo

Les directions
East – North – West – South

Expressions

What is the weather like ?
> *Quel temps fait-il ?*

It is foggy.
> *Il y a du brouillard.*

It's pouring.
> *Il pleut à verse.*

It's raining cats and dogs.
> *Il pleut des cordes.*

It's windy.
> *Il y a du vent.*

The temperatures may drop as low as 5 °C.
> *Les températures peuvent chuter jusque 5 degrés*

It's clearing up.
> *Le temps s'éclaircit.*

In the open air.
> *En plein air.*

11 - BODY & HEALTH
Le corps & la santé

Expressions

I have a headache.
> *J'ai mal à la tête.*

You need a rest.
> *Vous avez besoin de repos.*

I have a sore throat.
> *J'ai mal à la gorge.*

I have a stomachache.
> *J'ai mal à l'estomac.*

I have a toothache.
> *J'ai mal aux dents.*

I don't feel well.
> *Je ne me sens pas bien.*

Take some cough drops.
> *Prenez des pastilles pour la toux.*

Anglais / Français

12 - WORK & STUDIES
Le travail & les études

On the phone

Hold on please.

> *Ne raccrochez pas, s'il vous plaît.*

I'll put you through to her.

> *Je vais vous la passer.*

I'm afraid he's not here for the moment.

> *J'ai bien peur qu'il ne soit pas là pour le moment.*

Could you speak up, please ?

> *Pourriez-vous parler plus fort, s'il vous plaît ?*

I'm sorry but this is the wrong number.

> *Désolé, vous vous êtes trompé de numéro.*

The line is engaged.

> *La ligne est occupée.*

The line has gone dead.

> *Nous avons été coupés.*

Expressions

I commute to work by train.
> *Je vais au travail en train.*

He had to quit his job.
> *Il a dû quitter son travail.*

Vacancy for a waitress.
> *On cherche une serveuse.*

I work an eight-hour shift.
> *Je fais les trois-huit.*

What day are you off?
> *Quel est votre jour de congé ?*

Anglais / Français

Les mots anglais
en liste alphabétique
et traduits en français

A

about	*à propos de / environ*
accommodation	*hébergement*
actor	*acteur*
actress	*actrice*
address	*adresse*
advertisement	*publicité*
afraid	*effrayé*
afternoon	*après-midi*
AIDS	*sida*
airport	*aéroport*
aisle	*couloir (dans l'avion)*
all	*tout / tous*
ambitious	*ambitieux*
announcement	*annonce*
apartment (US)	*appartement*
apple	*pomme*
appointment	*rendez-vous*
April	*avril*
arm	*bras*
around	*autour de*
as	*comme*
at	*à*
August	*août*
autumn	*automne*

Anglais / Français

average	*moyen*
average build	*(de) stature moyenne*
average height	*(de) taille moyenne*

B

b**a**by	*bébé*
back	*de retour*
back	*dos*
bag	*sac*
ball	*balle*
ban**a**na	*banane*
band	*groupe (musique)*
bank	*banque*
bath	*bain*
b**a**throom	*salle de bain*
be	*être*
beach	*plage*
b**eau**ty salon	*salon d'esthétique*
because	*parce que*
bed	*lit*
b**e**droom	*chambre*
before	*avant*
beginner	*débutant*
belt	*ceinture*
between	*entre*

bicycle / bike	*bicyclette*
bicycle lane	*piste cyclable*
big	*grand*
bill	*facture*
birthday	*anniversaire*
bit (of cake)	*morceau (de gâteau)*
blanket	*couverture*
blouse	*chemisier*
board	*conseil (administration)*
boarding area	*zone d'embarquement*
boarding pass	*carte d'accès à bord*
boat	*bateau*
body	*corps*
boil	*(faire) bouillir*
book a hotel	*réserver un hôtel*
book	*livre*
bookshelf	*étagère*
bookshop	*librairie*
bookstore (US)	*librairie*
boot	*bottes*
booth	*cabine*
bored	*ennuyé*
boss	*patron*
bottle	*bouteille*
bowl	*bol*

Anglais / Français

box	*boîte*
boy	*garçon*
brake	*freiner*
bread	*pain*
break	*casser*
breakfast	*petit déjeuner*
breeze	*brise (vent)*
bridge	*pont*
broken	*cassé*
brother	*frère*
building	*bâtiment*
burn	*brûler*
bus operator	*conducteur de bus*
bus pass	*ticket de forfait*
bus stop	*arrêt d'autobus*
business	*affaires*
businessman	*homme d'affaires*
businesswoman	*femme d'affaires*
but	*mais*
butter	*beurre*
buy	*acheter*
by	*par*

C

cable car	*funiculaire*
cake	*gâteau*
call	*appeler*
calm	*calme*
camera	*appareil photo*
camp	*camper*
campsite	*terrain de camping*
can	*boîte de conserve*
can	*pouvoir*
car rental	*location de voiture*
car	*voiture*
carrot	*carotte*
carry-on luggage	*bagage de cabine*
cash	*argent liquide*
castle	*château*
catch	*attraper*
cathedral	*cathédrale*
cent	*centime*
century	*siècle*
chair	*chaise*
change	*change / changer*
change jobs	*changer de travail*
cheap	*bon marché*
check	*vérifier*

Anglais / Français

cheese	*fromage*
chef	*chef (cuisine)*
chemist	*pharmacien*
cheque (GB) check (US)	*chèque*
chicken	*poulet*
child	*enfant*
chilly	*frais*
chips	*frites*
Christmas	*Noël*
church	*église*
city	*ville*
class	*classe (groupe)*
classroom	*classe (salle)*
clean	*propre / nettoyer*
cleaner	*teinturier*
clear	*clair*
clever	*intelligent*
climb	*grimper*
clock	*pendule*
close	*fermer*
closed	*fermé*
clothes	*vêtements*
cloud	*nuage*
cloudy	*nuageux*
coach	*car*

coat	*manteau*
coffee	*café (boisson)*
coffee shop	*café (lieu)*
cold	*froid / rhume*
colleague	*collègue*
collect stamps	*collectionner des timbres*
college	*université*
comb	*peigne / peigner*
come	*venir*
commuter	*banlieusard*
company	*société*
computer	*ordinateur*
condo (US)	*appartement en copropriété*
conductor	*contrôleur*
cook	*(faire) cuire / cuisinier*
cooker	*cuisinière (appareil), gazinière*
corner	*coin*
cost	*coût / coûter*
cough	*toux / tousser*
country	*campagne / pays*
countryside	*campagne*
course	*cours*

Anglais / Français

cream	*crème*
crossing	*croisement*
crossroads	*carrefour*
crowded	*bondé*
cruise	*croisière*
cup	*tasse*
cupboard	*placard*
currency	*monnaie*
customer	*client*
cut	*coupure / couper*

D

dad(dy)	*papa*
daily	*journalier*
damp	*humide*
dance	*danser / danse*
dangerous	*dangereux*
dark	*sombre*
daughter	*fille*
dead	*mort*
December	*décembre*
degree	*degré*
delay	*retard / retarder*
delayed	*retardé*
deli	*traiteur*

dentist	dentiste
department store	grand magasin
deposit	dépôt / déposer
desk	bureau (meuble)
diarrhea	diarrhée
dictionary	dictionnaire
die	mourir
dining room	salle à manger
dinner	diner
diploma	diplôme
dirty	sale
disco	discothèque
dish	plat
dishonest	malhonnête
do	faire
doctor	docteur
documents	papiers (passeport, visa)
door	porte
dormitory	dortoir
down	en bas
downstairs	en bas
draw	dessiner
draw up	dessiner des plans
drawing	dessin
dress	robe / (s')habiller

Anglais / Français

drink	*boisson / boire*
drive	*conduire*
driver	*conducteur*
driving	*conduite*
drum	*tambour*
dry	*sec*
dry skin	*peau sèche*

E

ear	*oreille*
early	*en avance*
earn	*gagner*
Easter	*Pâques*
easy	*facile*
eat	*manger*
egg	*œuf*
eight	*8*
eighteen	*18*
eighty	*80*
eighty-seven	*87*
elevator (US)	*ascenseur*
eleven	*11*
emergency exit	*sortie de secours*
empty	*vide*
engine	*moteur*

engineer	*technicien*
enough	*assez de*
entrance	*entrée*
e-ticket (electronic ticket)	*billet électronique*
evening	*soir*
exam(ination)	*examen*
exchange money	*changer de l'argent*
exciting	*passionnant*
exhibition	*exposition*
exit	*sortie*
expensive	*cher*
eye	*œil*

F

face	*visage*
facilities	*équipement*
factory	*usine*
fall	*tomber*
family	*famille*
far	*loin*
fare	*prix du billet*
farm	*ferme*
farmer	*fermier*
fast	*rapide*
fast food restaurant	*restaurant rapide*

Anglais / Français

fat	*gros*
father	*père*
February	*février*
feel	*(se) sentir*
fever	*fièvre*
field	*champ*
fifteen	*15*
fifty	*50*
fifty-four	*54*
fine	*bien*
fire	*feu*
fire fighter	*pompier*
first	*d'abord*
first floor	*rez-de-chaussée*
fish	*poisson*
fishing	*pêche*
five	*5*
flat (GB)	*appartement*
flight attendant	*steward*
flight	*vol*
floor	*sol*
flower	*fleur*
flower shop	*fleuriste*
flu	*grippe*
fly	*voler*

og	*brouillard*
ood	*nourriture*
oot	*pied*
or sale	*à vendre*
orest	*forêt*
ork	*fourchette*
orty	*40*
orty-three	*43*
our	*4*
ourteen	*14*
reeze	*geler*
riday	*vendredi*
ridge	*réfrigérateur*
ried	*frit*
riend	*ami*
riendly	*amical*
rom	*depuis /*
	(en provenance) de
ruit	*fruit(s)*
ry	*faire frire*
ull	*plein*
unny	*drôle*
urnished	*meublé*
urniture	*meubles*

Anglais / Français

G

game	*jeu*
garden	*jardin*
gardening	*jardinage*
gas bill	*facture de gaz*
gate	*portail, porte*
generous	*généreux*
geography	*géographie*
get a promotion	*avoir une promotion*
get a raise	*avoir une augmentation*
get fired	*être licencié*
get	*obtenir, devenir*
get off	*sortir*
get on	*embarquer*
girl	*fille*
give a presentation	*faire un exposé*
glass	*verre*
glasses	*lunettes*
go	*aller*
go home	*retourner chez soi*
go on a business trip	*aller en voyage d'affaires*
go on a diet	*se mettre au régime*
go on vacation	*aller en vacances*
go out to lunch	*aller déjeuner*
go to a meeting	*aller à une réunion*

ood	*bon*
randdaughter	*petite-fille*
randfather	*grand-père*
randmother	*grand-mère*
randson	*petit-fils*
rape	*raisin*
rass	*herbe*
reat	*super*
rill	*grill / griller*
row	*pousser / faire pousser*
uest	*invité*
uesthouse	*pension de famille*
uide	*guide (personne)*
uidebook	*guide (livre)*

H

ail	*grêle*
air	*poil / cheveux*
airdresser	*coiffeur*
airdryer	*séchoir à cheveux*
alf	*moitié*
all	*entrée*
and	*main*
appy	*heureux*
ard	*difficile / dur*

Anglais / Français

hardware store	*quincaillerie*
hardworking	*qui travaille dur*
hat	*chapeau*
have a drink	*prendre un verre*
have	*avoir*
have fun	*s'amuser*
he	*il*
head	*tête*
headache	*mal à la tête*
hear	*entendre*
heart	*cœur*
heating	*chauffage*
heavy	*lourd*
helicopter	*hélicoptère*
her	*elle*
her	*son, sa, ses*
	(à une femme)
here	*ici*
hiccups	*hoquet*
high	*haut*
highway	*autoroute*
hiking	*randonnée*
hill	*colline*
him	*lui*

is	*son, sa, ses*
	(à un homme)
history	*histoire*
hobby	*loisir*
holidays	*vacances*
home	*maison*
homework	*travail à la maison*
hospital	*hôpital*
host (hostess)	*hôte / hôtesse*
hot	*très chaud*
hour	*heure*
house	*maison (bâtiment)*
housing	*logement*
how long ?	*combien de temps ?*
how many	*combien de (nombre) ?*
how much	*combien de (quantité) ?*
huge	*énorme*
hungry	*affamé*
hurricane	*ouragan*
urt	*faire mal*
usband	*mari*

Anglais / Français

I

I	*je*
ice cream	*crème glacée*
ice	*glace*
if	*si*
ill	*malade*
in	*dans*
in fashion	*à la mode*
inn	*auberge*
instructions	*consignes*
insurance	*assurance*
into	*vers l'intérieur de*
island	*île*
it	*lui/elle*
	(quand on ne parle pas d'un être humain)
its	*son, sa, ses*
	(quand on ne parle pas d'un être humain)

J

jacket	*veste*
jam	*confiture*
January	*janvier*
job	*métier*

journey	*voyage*
juice	*jus*
July	*juillet*
June	*juin*
just	*juste*

K

key	*clé*
kid	*jeune*
kind	*bon, gentil*
king	*roi*
kitchen	*cuisine*
knife	*couteau*
knitting	*tricot*
know	*savoir*

L

lake	*lac*
lamp	*lampe*
landlord	*propriétaire*
late	*en retard*
later	*plus tard*
laugh	*rire*
laundromat	*laverie automatique*
laundry room	*lingerie*

Anglais / Français

lavatory	*toilettes*
lawyer	*juriste*
lazy	*paresseux*
learn	*apprendre*
lease	*bail*
leave	*quitter*
left	*gauche*
leg	*jambe*
lemon	*citron*
lemonade	*limonade*
letter	*lettre*
level	*niveau*
library	*bibliothèque*
licence	*permis*
lie down	*se coucher*
life jacket	*gilet de sauvetage*
lift	*ascenseur*
light	*léger*
lightening	*éclair*
lights	*feux / lumières*
lights	*lumières*
like	*aimer*
listen to	*écouter*
little	*petit*
live	*vivre*

lively	*animé*
living room	*salle de séjour*
long	*long*
look at	*regarder*
lorry	*camion*
love	*amour / aimer*
low	*bas*
luck	*chance*
luggage	*bagages*
lunch	*déjeuner*

M

mailbox	*boîte aux lettres*
main course	*plat principal*
make	*faire*
make copies	*faire des photocopies*
manager	*directeur*
many	*beaucoup de (+ nom pluriel)*
map	*carte / plan*
March	*mars*
market	*marché*
married	*marié*
marvelous	*merveilleux*
mathematics	*mathématiques*

Anglais / Français

May	*mai*
me	*moi*
meal	*repas*
measles	*oreillons*
meat	*viande*
mechanic	*mécanicien*
medicine	*médicament*
meet with a client	*rencontrer un client*
meeting	*réunion*
member	*membre*
midnight	*minuit*
mile	*mile (= 1,60 kilomètre)*
milk	*lait*
mirror	*miroir*
miss	*manquer*
Miss, Mr, Mrs, Ms	*Melle, M, Mme*
mobile (phone)	*téléphone portable*
moment	*instant*
Monday	*lundi*
month	*mois*
monthly	*mensuel*
moon	*lune*
morning	*matin*
mother	*mère*
motorist	*automobiliste*

motorway	*autoroute*
mountain	*montagne*
mouse	*souris*
move	*se déplacer*
movie theater	*cinéma*
much	*beaucoup de (+nom singulier)*
mum (my)	*maman*
museum	*musée*
must	*devoir*
my	*mon, ma, mes*

N

near	*à côté de*
neck	*cou*
neighbour	*voisin*
new	*nouveau*
newborn infant	*nouveau-né*
news	*nouvelles*
newsagent	*marchand de journaux*
newspaper	*journal*
night	*nuit*
nine	*9*
nineteen	*19*
ninety	*90*

Anglais / Français

ninety-eight	*98*
no	*pas de*
noon	*midi*
nose	*nez*
November	*novembre*
now	*maintenant*
nurse	*infirmier (-ère)*

O

occupation	*profession*
October	*octobre*
of	*de*
off	*hors de / loin de*
office	*bureau (pièce)*
oil	*huile, pétrole*
old	*vieux*
on	*sur*
one	*1*
one hundred	*100*
onion	*oignon*
only	*seulement*
open	*ouvrir / ouvert(e)*
open-minded	*qui a l'esprit ouvert*
optimistic	*optimiste*
order	*commander*

other	*autre*
our	*nos / notre*
out	*en dehors*
outdoor	*extérieur*
outgoing	*ouvert*
over	*au-dessus*
overhead compartment	*compartiment à bagages*
overweight	*en surpoids*

P

pain	*mal / douleur*
paint	*peindre*
painter	*peintre*
painting	*peinture*
park	*(se) garer*
parking lot (US)	*parking*
parking space	*place de parking*
party	*fête*
passenger	*passager*
passport	*passeport*
pasta	*pâtes*
pay (for)	*payer*
pedestrian	*piéton*
pen-friend	*correspondant(e)*
pepper	*poivre*

Anglais / Français

pessimistic	*pessimiste*
pet store	*animalerie*
petrol (GB) gas (US)	*essence*
petrol station (GB)	*station service*
pharmacy	*pharmacie*
phone	*téléphone*
photo(graph)	*photo (une)*
photographer	*photographe*
photography	*photo (la)*
picture	*image*
piece of cake	*morceau de gâteau*
pillow	*oreiller*
pizza parlor (US)	*pizzeria*
plane	*avion*
plane tickets	*billets d'avion*
plate	*assiette*
platform	*quai*
play chess	*jouer aux échecs*
play	*jouer*
play	*pièce (théâtre)*
play the piano	*jouer du piano*
player	*joueur*
pocket	*poche*
police officer	*officier de police*
police station	*poste de police*

pool	*piscine*
poor	*pauvre*
post office	*poste*
potato	*pomme de terre*
practice	*pratique (sport ou loisir)*
practise	*pratiquer*
price	*prix*
prize	*prix (récompense)*
professor	*professeur (université)*
project	*projet*
public official	*fonctionnaire*
pupil	*élève*
purse	(GB) *porte monnaie /* (US) *sac à main*
put on	*mettre (un vêtement)*

Q

quarter	*quart*
queen	*reine*
quiet	*calme*

R

race	*course / courir*
railway	*chemin de fer*
rain	*pluie / pleuvoir*

Anglais / Français

raincoat	*imperméable*
raindrops	*gouttes de pluie*
rainy	*pluvieux*
read	*lire*
reading	*lecture*
real	*réel / vrai*
reasonable	*raisonnable*
receipt	*reçu*
reliable	*sur qui on peut compter*
remember	*se souvenir*
rent	*louer / loyer*
repair	*réparer / réparation*
rest	*repos / se reposer*
return	*retourner / retour*
rice	*riz*
ride	*faire du cheval / du vélo*
riding	*équitation*
right	*droit(e), exact / vrai*
ring	*bague*
river	*rivière*
road	*route*
roast	*rôtir / rôti*
roof	*toit*
room	*chambre*
roommate	*copain de chambre*

ound	*rond*
oundabout	*rond-point*
uin	*ruine*
un	*courir*

S

afe	*en sécurité*
ailing	*voile*
alad	*salade*
ales clerk	*vendeur*
alt	*sel*
aturday	*samedi*
ay	*dire*
chedule	*horaire*
chool	*école*
ea	*mer*
eat belt	*ceinture de sécurité*
eat	*siège*
econd floor	*premier étage*
econd	*seconde*
econd-hand clothes	*vêtements d'occasion*
ecretary	*secrétaire*
ecurity checkpoint	*contrôle de sécurité*
ecurity deposit	*dépôt de garantie*
ecurity officer	*contrôleur de sécurité*

Anglais / Français

see	*voir*
selfish	*égoïste*
send a fax	*envoyer un fax*
senior citizen	*sénior*
September	*septembre*
seven	*7*
seventeen	*17*
seventy	*70*
seventy-six	*76*
she	*elle*
shelf	*étagère*
ship	*navire*
shirt	*chemise*
shoe	*chaussure*
shop assistant	*vendeur (euse)*
shop	*magasin*
shopper	*client*
shopping (go)	*les courses (faire)*
shopping mall (US)	*centre commercial*
short	*court, petit*
shorts	*short*
show	*spectacle / montrer*
shower	*averse, douche*
shy	*timide*
sick	*malade*

silly	*stupide*
sing	*chanter*
singer	*chanteur*
sister	*sœur*
sitting room	*salon*
six	*6*
sixteen	*16*
sixty	*60*
sixty-five	*65*
ski	*ski / faire du ski*
skinny	*maigre*
skirt	*jupe*
sky	*ciel*
sleep	*sommeil / dormir*
slice	*tranche*
slow	*lent*
small	*petit*
snack	*repas léger*
snow	*neige / neiger*
snowy	*neigeux*
so	*donc*
soap	*savon*
sofa	*canapé*
soft	*doux*
some	*du, des, un peu de*

Anglais / Français

song	*chant*
space	*espace*
special of the day	*plat du jour*
spend	*dépenser*
spicy	*épicé*
sports centre	*centre sportif*
spring	*printemps*
square (GB)	*place*
stadium	*stade*
staff	*personnel*
stairway	*escalier*
stand	*être debout*
star	*étoile*
station	*gare / station*
stay	*rester / séjour*
stingy	*radin*
stomach	*estomac*
stop	*arrêter*
storm	*tempête*
straight on	*tout droit*
strange	*étrange*
street	*rue*
strong	*fort*
student	*étudiant*
studies	*études*

study	*étudier / étude*
subject	*matière*
subway (US)	*métro*
subway line	*ligne de métro*
subway station	*station de métro*
sugar	*sucre*
suit	*costume*
suitcase	*valise*
summer	*été*
sun	*soleil*
sunburn	*coup de soleil*
Sunday	*dimanche*
sunglasses	*lunettes de soleil*
sunny	*ensoleillé*
sunrise	*lever du soleil*
sunset	*coucher du soleil*
supermarket	*supermarché*
surname	*nom de famille*
sweater	*sweat shirt*
sweet	*dessert / sucré*
swim	*nager*
swimming	*natation*
swimming pool	*piscine*

Anglais / Français

T

table tennis	*ping-pong*
take a day off	*prendre un jour de congé*
take a seat	*prendre un siège*
take off	*enlever (un vêtement)*
take out a loan	*prendre un crédit*
talk	*parler / conférence*
talkative	*bavard*
tall	*grand*
tape recorder	*magnétophone*
tasty	*bon*
taxi stand	*station de taxis*
tea	*thé*
teach	*enseigner*
teacher	*professeur*
team	*équipe*
teen	*adolescent*
ten	*10*
ten thousand	*10 000*
tenant	*locataire*
terrific	*super*
test	*test / tester*
that	*ce, cette, ces / que, qui*
theatre	*théâtre*
their	*leur / leurs*

them	*eux / elles*
then	*alors, ensuite*
there	*là*
they	*ils / elles*
thin	*mince*
thirsty	*assoiffé*
thirteen	*13*
thirty	*30*
thirty-two	*32*
three	*3*
three thousand	*3 000*
throat	*gorge*
throw	*jeter*
thunder	*tonnerre*
thunderstorm	*orage*
Thursday	*jeudi*
ticket	*billet*
ticket counter	*comptoir de vente de billets*
ticket machine	*distributeur de billets*
tie	*cravate*
tights	*collants*
time	*temps (durée, heure)*
tiny	*minuscule*
tip	*pourboire*

Anglais / Français

tired	*fatigué*
to	*à, vers*
today	*aujourd'hui*
toilet	*toilettes*
tomato	*tomate*
tomorrow	*demain*
tonight	*ce soir*
tooth	*dent*
toothbrush	*brosse à dents*
tour	*voyage / faire un voyage*
towel	*serviette*
town	*ville*
traffic	*circulation*
traffic lights	*feux de circulation*
train station	*gare de chemin de fer*
trainers	*baskets*
transfer	*transfert / transférer*
travel agency	*agence de voyage*
travel	*voyage*
tree	*arbre*
trendy	*à la mode*
trip	*voyage*
trousers	*pantalon*
truck (US)	*camion*
try on	*essayer (un vêtement)*

Tuesday	*mardi*
twelve	*12*
twenty million	*20 000 000*
twenty	*20*
twenty-one	*21*
two	*2*
two hundred	*200*
two thousand	*2 000*
tyre	*pneu*

U

umbrella	*parapluie*
under	*sous*
underground (GB)	*métro*
university	*université*
up	*vers le haut*
us	*nous*
use a debit card	*utiliser une carte de crédit*

V

vacancy	*chambre libre*
vaccinations	*vaccins*
vegetable	*légume*
video recorder	*caméra*

Anglais / Français

video rental store	*magasin de location de DVD*

W

wait	*attendre*
wait in line	*faire la queue*
waiter	*serveur*
waitress	*serveuse*
walk	*marcher*
wallet (US)	*porte-monnaie*
want	*vouloir*
warm	*chaud*
wash up	*faire la vaisselle*
watch	*regarder*
water	*eau*
way	*route / chemin*
we	*nous*
wear	*porter (un vêtement)*
weather forecast	*prévisions météo*
weather	*temps*
Wednesday	*mercredi*
week	*semaine*
weekly	*hebdomadaire*
well	*bien*
wet	*humide*

wet	*mouillé*
what?	*quoi ?*
wheel	*roue*
when?	*quand ?*
where?	*où ?*
which	*qui, que (quand on ne parle pas d'êtres humains)*
which?	*lequel / laquelle ?*
who	*qui, que (pour parler d'êtres humains)*
who?	*qui ?*
whose?	*à qui ?*
why?	*pourquoi ?*
wife	*épouse*
win	*gagner*
wind	*vent*
window	*fenêtre*
window seat	*siège près du hublot*
winner	*gagnant*
winter	*hiver*
with	*avec*
withdraw money	*retirer de l'argent*
wonderful	*merveilleux*
wood	*bois*

Anglais / Français

wool	*laine*
work	*travail / travailler*
worker	*ouvrier*
world	*monde*
worried	*inquiet*
write a proposal	*rédiger une proposition*
write a report	*rédiger un rapport*
writer	*écrivain*
wrong	*faux*

Y

yard	*cour*
year	*année*
yesterday	*hier*
you	*toi / vous*
you	*tu / vous*
youngster	*jeune*
your	*ton / ta / tes / votre / vos*
youth hostel	*auberge de jeunesse*

ANNEXE :
LES VERBES IRRÉGULIERS

abîmer, gâter (un enfant)

	spoil	*spoilt*	*spoilt*
acheter	*buy*	*bought*	*bought*
aller	*go*	*went*	*gone*

aller (cheval ou bicyclette)

	ride	*rode*	*ridden*
allumer	*light*	*lit*	*lit*
apporter	*bring*	*brought*	*brought*
apprendre	*learn*	*learnt*	*learnt*
attraper	*catch*	*caught*	*caught*
asseoir (s')	*sit*	*sat*	*sat*
avoir	*have*	*had*	*had*
balayer	*sweep*	*swept*	*swept*
battre	*beat*	*beat*	*beaten*
boire	*drink*	*drank*	*drunk*
briller	*shine*	*shone*	*shone*
brûler	*burn*	*burnt*	*burnt*
cacher	*hide*	*hid*	*hidden*
casser	*break*	*broke*	*broken*
chanter	*sing*	*sang*	*sung*
chercher	*seek*	*sought*	*sought*
choisir	*choose*	*chose*	*chosen*

coller	*stick*	*stuck*	*stuck*
combattre	*fight*	*fought*	*fought*
commencer	*begin*	*began*	*begun*
comprendre	*understand*	*understood*	*understood*
conduire	*drive*	*drove*	*driven*
conduire	*lead*	*led*	*led*
construire	*build*	*built*	*built*
coudre	*sew*	*sewed*	*sewn*
couper	*cut*	*cut*	*cut*
courber	*bend*	*bent*	*bent*
courir	*run*	*ran*	*run*
coûter	*cost*	*cost*	*cost*
cracher	*spit*	*spat*	*spat*
creuser	*dig*	*dug*	*dug*
déchirer	*tear*	*tore*	*torn*
dépenser	*spend*	*spent*	*spent*
dessiner	*draw*	*drew*	*drawn*
devenir	*become*	*became*	*become*
dire	*say*	*said*	*said*
dire	*tell*	*told*	*told*
distribuer	*deal*	*dealt*	*dealt*
diviser	*split*	*split*	*split*
donner	*give*	*gave*	*given*
donner naissance, élever			
	breed	*bred*	*bred*

dormir	sleep	slept	slept
éclater	burst	burst	burst
écrire	write	wrote	written
enseigner	teach	taught	taught
entendre	hear	heard	heard
envoyer	send	sent	sent
épeler	spell	spelt	spelt
étaler	spread	spread	spread
être	be	was	been
être couché	lie	lay	lain
être debout	stand	stood	stood
faire	do	did	done
faire	make	made	made
faire mal	hurt	hurt	hurt
fermer	shut	shut	shut
frapper	hit	hit	hit
frapper	strike	struck	struck
fuir	flee	fled	fled
gagner	win	won	won
garder	keep	kept	kept
geler	freeze	froze	frozen
glisser	slide	slid	slid
interdire	forbid	forbade	forbidden
jaillir	spring	sprang	sprung
jeter	throw	threw	thrown

jeter, projeter	*cast*	*cast*	*cast*
jurer	*swear*	*swore*	*sworn*
laisser	*let*	*let*	*let*
lancer	*fling*	*flung*	*flung*
lier	*bind*	*bound*	*bound*
lire	*read*	*read*	*read*
manger	*eat*	*ate*	*eaten*
marcher	*stride*	*strode*	*stridden*
mettre	*put*	*put*	*put*
montrer	*show*	*showed*	*shown*
mordre	*bite*	*bit*	*bitten*
nager	*swim*	*swam*	*swum*
nourrir	*feed*	*fed*	*fed*
obtenir	*get*	*got*	*got*
oublier	*forget*	*forgot*	*forgotten*
pardonner	*forgive*	*forgave*	*forgiven*
parier	*bet*	*bet*	*bet*
parler	*speak*	*spoke*	*spoken*
payer	*pay*	*paid*	*paid*
pendre	*hang*	*hung*	*hung*
penser	*think*	*thought*	*thought*
perdre	*lose*	*lost*	*lost*
piquer	*sting*	*stung*	*stung*
placer	*lay*	*laid*	*laid*
placer	*set*	*set*	*set*

pleurer	*weep*	*wept*	*wept*
porter	*wear*	*wore*	*worn*
pousser	*grow*	*grew*	*grown*
prendre	*take*	*took*	*taken*
prêter	*lend*	*lent*	*lent*
quitter	*leave*	*left*	*left*
rencontrer	*meet*	*met*	*met*
rétrécir	*shrink*	*shrank*	*shrunk*
réveiller (se)	*wake*	*woke*	*woken*
rêver	*dream*	*dreamt*	*dreamt*
s'agenouiller	*kneel*	*knelt*	*knelt*
saigner	*bleed*	*bled*	*bled*
s'appuyer	*lean*	*leant*	*leant*
sauter	*leap*	*leapt*	*leapt*
savoir	*know*	*knew*	*known*
scier	*saw*	*sawed*	*sawn*
se lever	*rise*	*rose*	*risen*
secouer	*shake*	*shook*	*shaken*
s'élever	*arise*	*arose*	*arisen*
sentir (se)	*feel*	*felt*	*felt*
sentir (odorat)	*smell*	*smelt*	*smelt*
sentir mauvais	*stink*	*stank*	*stunk*
sonner	*ring*	*rang*	*rung*
souffler	*blow*	*blew*	*blown*
supporter	*bear*	*bore*	*borne*

tenir	*hold*	*held*	*held*
tirer	*shoot*	*shot*	*shot*
tomber	*fall*	*fell*	*fallen*
tondre	*mow*	*mowed*	*mown*
transmettre	*broadcast*	*broadcast*	*broadcast*
troubler	*upset*	*upset*	*upset*
trouver	*find*	*found*	*found*
vendre	*sell*	*sold*	*sold*
venir	*come*	*came*	*come*
voir	*see*	*saw*	*seen*
voler (oiseau, avion)	*fly*	*flew*	*flown*
voler (voleur)	*steal*	*stole*	*stolen*
vouloir dire	*mean*	*meant*	*meant*

VOUS AVEZ AIMÉ CE LIVRE ?
Vous trouverez également dans la même collection

- *L'anglais correct*, Brigitte Lallement & Nathalie Pierret
- *L'espagnol correct*, Élisenda Ségalas-Clérin
- *La grammaire anglaise*, Jean-Bernard Piat
- *Les 1000 mots indispensables en espagnol*, Élisenda Ségalas-Clérin

Dans la collection **Le petit livre**,
vous trouverez également **les thématiques**
suivantes :

Cuisine - Diététique

Arts - Histoire - Spiritualités - Savoirs

Astrologie - Humour - Jeux - Insolites

Vie pratique - Vie professionnelle

Langue française - Langues

Développement personnel - Vie de famille - Santé

Jeunesse

Pour consulter notre catalogue et
découvrir les dernières nouveautés,

rendez-vous sur **www.editionsfirst.fr** !